Pour Jon Scieszka
(qui ne sait pas danser non plus)

Texte et illustrations © 2009 Mo Willems
Titre original : *Elephants Cannot Dance !* Tous droits réservés.
Première publication par Hyperion Books, une marque de Disney Book Group.

Ce livre a été négocié par l'agence Sheldon Fogelman Inc.

Traduction : Marie-Agathe Le Gueut

ISBN-13 : 978-2-84801-533-0
Dépôt légal : février 2010
Imprimé en Italie

© 2010 Tourbillon, pour la langue française
221, bd Raspail, 75014 Paris, France
Conforme à la loi n°49.956 du 16 juillet 1949
sur les publications destinées à la jeunesse

Retrouvez le catalogue Tourbillon sur
www.editions-tourbillon.fr

La leçon de danse

Mo Willems

Tourbillon

Émile !

Si on dansait ?

J'apprends
à tous mes amis !

Oh oui, j'aimerai bien apprendre à danser.

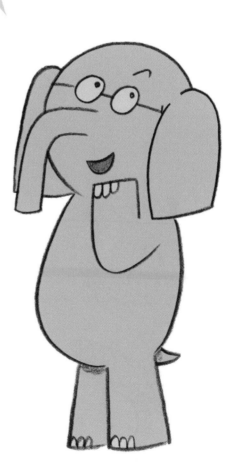

Mais les éléphants
ne savent pas danser.

9

Je peux apprendre
à danser !

Je VAIS apprendre à danser !

HOP!

Ok, c'est parti !

À trois, tu sautes avec moi.

Un !

Deux !

Trois !

Allez,
on continue.

On continue,
d'accord.

Bouge tes bras comme ça.

Ça suffit !